U0101629

神思第二十六

古人云：『形在江海之上，心存魏闕之下。』神思之謂也。文之思也，其神遠矣。故寂然凝慮，思接千載；悄焉動容，視通萬里；吟詠之間，吐納珠玉之聲；眉睫之前，卷舒風雲之色：其思理之致乎。故思理爲妙，神與物遊。神居胸臆，而志氣統其關鍵；物沿耳目，而辭令管其樞機。樞機方通，則物無隱貌；關鍵將塞，則神有遁心。是以陶鈞文思，貴在虛静，疏瀹五藏，澡雪精神。積學以儲寶，酌理以富才，研閱以窮照，馴致以懌辭，然後使玄解之宰，尋聲律而定墨；獨照之匠，窺意象而運斤：此蓋馭文之首術，謀篇之大端。夫神思方運，萬塗競萌，規矩虛位，刻鏤無形。登山則情滿於山，觀海則意溢於海，我才之多少，將與風雲而并驅矣。方其搦翰，氣倍辭前，暨乎篇成，半折心始。何則？意翻空而易奇，言徵實而難巧也。是以意授於思，言授於意，密則無際，疏則千里；或理在方寸而求之域表，或義在咫尺而思隔山河。是以秉心養術，無務苦慮；含章司契，不必勞情也。

人之禀才，遲速异分；文之制體，大小殊功：相如含筆而腐毫，揚雄輟翰而驚夢，桓譚疾感於苦思，王充氣竭於思慮，張衡研京以十年，左思練都以一紀，雖有巨文，亦思之緩也。淮南崇朝而賦《騷》，枚皋應詔而成賦，子建援牘如口誦，仲宣舉筆似宿搆，阮瑀據案而制書，禰衡當食而草奏，雖有短篇，亦思之速也。若夫駿發之士，心總要術，敏在慮前，應機立斷；覃思之人，情饒歧路，鑒在疑後，研慮方定。機敏故造次而成功，慮疑故愈久而致績。難易雖殊，并資博練。若學淺而空遲，才疎而徒速，以斯成器，未之前聞。是以臨篇綴慮，必有二患：理鬱者苦貧，辭溺者傷亂。然則博見爲饋貧之糧，貫一爲拯亂之藥，博而能一，亦有助乎心力矣。

若情數詭雜，體變遷貿，拙辭或孕於巧義，庸事或萌於新意；視布於麻，雖云未費，杼軸獻功，煥然乃珍。至於思表纖旨，文外曲致，言所不追，筆固知止。至精而後闡其妙，至變而後通其數，伊摯不能言鼎，輪扁不能語斤，其微矣乎！

贊曰：神用象通，情變所孕。物以貌求，心以理應。刻鏤聲律，萌芽比興。結慮司契，垂帷制勝。

體性第二十七

夫情動而言形，理發而文見，蓋沿隱以至顯，因內而符外者也。然才有庸俊，氣有剛柔，學有淺深，習有雅鄭，并情性所鑠，陶染所凝，是以筆區雲譎，文苑波詭者矣。故辭理庸俊，莫能翻其才；風趣剛柔，寧或改其氣；事義淺深，未聞乖其學；體式雅鄭，鮮有反其習：各師成心，其异如面。若總其歸塗，則數窮八體：一曰典雅，二曰遠奥，三曰精約，四曰顯附，五曰繁縟，六曰壯麗，七曰新奇，八曰輕靡。典雅者，鎔式經誥，方軌儒門者也；遠奥者，馥采典文，經理玄宗者也；精約者，核字省句，剖析毫釐者也；顯附者，辭直義暢，切理厭心者也；繁縟者，博喻醲采，煒燁枝派者也；壯麗者，高論宏裁，卓爍异采者也；新奇者，擯古競今，危側趣詭者也；輕靡者，浮文弱植，縹緲附俗者也。故雅與奇反，奥與顯殊，繁與約舛，壯與輕乖，文辭根葉，苑囿其中矣。

若夫八體屢遷，功以學成，才力居中，肇自血氣；氣以實志，志以定言，吐納英華，莫非情性。是以賈生俊發，故文潔而體清；長卿傲誕，故理侈而辭溢；子雲沈寂，故志隱而味深；子政簡易，故趣昭而事博；孟堅雅懿，故裁密而思靡；平子淹通，故慮周而藻密；仲宣躁鋭，故穎出而才果；公幹氣褊，故言壯而情駭；嗣宗俶儻，故響逸而調遠；叔夜俊俠，故興高而采烈；安仁輕敏，故鋒發而韻流；士衡矜重，故情繁而辭隱：觸類以推，表裏必符。豈非自然之恒資，才氣之大略哉！

夫才有天資，學慎始習，斲梓染絲，功在初化，器成綵定，難可翻移。故童子雕琢，必先雅製，沿根討葉，思轉自圓，八體雖殊，會通合數，得其環中，則輻輳相成。故宜摹體以定習，因性以練才，文之司南，用此道也。

贊曰：才性异區，文辭繁詭。辭爲膚根，志實骨髓。雅麗黼黻，淫巧朱紫。習亦凝真，功沿漸靡。

風骨第二十八

《詩》總六義，風冠其首，斯乃化感之本源，志氣之符契也。是以怊悵述情，必始乎風；沈吟鋪辭，莫先於骨。故辭之待骨，如體之樹骸；情之含風，猶形之包氣。結言端直，則文骨成焉；意氣駿爽，則文風清焉。若豐藻克贍，風骨不飛，則振采失鮮，負聲無力。是以綴慮裁篇，務盈守氣，剛健既實，輝光乃新，其爲文用，譬征鳥之使翼也。故練於骨者，析辭必精；深乎風者，述情必顯。捶字堅而難移，結響凝而不滯，此風骨之力也。若瘠義肥辭，繁雜失統，則無骨之徵也。思不環周，索莫乏氣，則無風之驗也。昔潘勗錫魏，思摹經典，群才韜筆，乃其骨髓峻也；相如賦仙，氣號凌雲，蔚爲辭宗，乃其風力遒也。能鑒斯要，可以定文，兹術或違，無務繁采。

故魏文稱：『文以氣爲主，氣之清濁有體，不可力强而致。』故其論孔融，則云『體氣高妙』；論徐幹，則云『時有齊氣』；論劉楨，則云『有逸氣』。公幹亦云：『孔氏卓卓，信含异氣，筆墨之性，殆不可勝。』并重氣之旨也。夫翬翟備色，而翾翥百步，肌豐而力沈也；鷹隼乏采，而翰飛戾天，骨勁而氣猛也。文章才力，有似于此。若風骨乏采，則鷙集翰林，采乏風骨，則雉竄文囿：唯藻耀而高翔，固文筆之鳴鳳也。

若夫鎔鑄經典之範，翔集子史之術，洞曉情變，曲昭文體，然後能孚甲新意，雕畫奇辭。昭體故意新而不亂，曉變故辭奇而不黷。若骨采未圓，風辭未練，而跨略舊規，馳騖新作，雖獲巧意，危敗亦多，豈空結奇字，紕繆而成經矣。《周書》云：『辭尚體要，弗惟好异。』蓋防文濫也。然文術多門，各適所好，明者弗授，學者弗師。於是習華隨侈，流遁忘反。若能確乎正式，使文明以健，則風清骨峻，篇體光華。能研諸慮，何遠之有哉！

贊曰：情與氣偕，辭共體并。文明以健，珪璋乃騁。蔚彼風力，嚴此骨鯁。才鋒峻立，符采克炳。

通變第二十九

夫設文之體有常，變文之數無方，何以明其然耶？凡詩賦書記，名理相因，此有常之體也；文辭氣力，通變則久，此無方之數也。名理有常，體必資於故實；通變無方，數必酌於新聲；故能騁無窮之路，飲不竭之源。然綆短者銜渴，足疲者輟塗，非文理之數盡，乃通變之術疎耳。故論文之方，譬諸草木，根幹麗土而同性，臭味晞陽而异品矣。

是以九代詠歌，志合文則。黃歌『斷竹』，質之至也；唐歌在昔，則廣於黃世；虞歌『卿雲』，則文於唐時；夏歌『雕墻』，縟於虞代；商周篇什，麗於夏年。至於序志述時，其揆一也。暨楚之騷文，矩式周人；漢之賦頌，影寫楚世；魏之策制，顧慕漢風；晉之辭章，瞻望魏采。搉而論之，則黃唐淳而質，虞夏質而辨，商周麗而雅，楚漢侈而艷，魏晉淺而綺，宋初訛而新。從質及訛，彌近彌澹，何則？競今疎古，風味氣衰也。今才穎之士，刻意學文，多略漢篇，師範宋集，雖古今備閱，然近附而遠疎矣。夫青生於藍，絳生於蒨，雖踰本色，不能復化。桓君山云：『予見新進麗文，美而無採；及見劉揚言辭，常輒有得。』此其驗也。故練青濯絳，必歸藍蒨，矯訛翻淺，還宗經誥。斯斟酌乎質文之間，而檃括乎雅俗之際，可與言通變矣。

夫誇張聲貌，則漢初已極，自茲厥後，循環相因，雖軒翥出轍，而終入籠內。枚乘《七發》云：『通望兮東海，虹洞兮蒼天。』相如《上林》云：『視之無端，察之無涯，日出東沼，月生西陂。』馬融《廣成》云：『天地虹洞，固無端涯，大明出東，月生西陂。』揚雄《校獵》云：『出入日月，天與地沓。』張衡《西京》云：『日月於是乎出入，象扶桑於濛汜。』此并廣寓極狀，而五家如一。諸如此類，莫不相循，參伍因革，通變之數也。

是以規略文統，宜宏大體，先博覽以精閱，總綱紀而攝契；然後拓衢路，置關鍵，長轡遠馭，從容按節，憑情以會通，負氣以適變，采如宛虹之奮鬐，光若長離之振翼，乃穎脫之文矣。若乃齷齪於偏解，矜激乎一致，此庭間之迴驟，豈萬里之逸步哉！

贊曰：文律運周，日新其業。變則其久，通則不乏。趨時必果，乘機無怯。望今制奇，參古定法。

定勢第三十

夫情致异區，文變殊術，莫不因情立體，即體成勢也。勢者，乘利而爲制也。如機發矢直，澗曲湍回，自然之趣也。圓者規體，其勢也自轉；方者矩形，其勢也自安：文章體勢，如斯而已。是以模經爲式者，自入典雅之懿；效《騷》命篇者，必歸艷逸之華；綜意淺切者，類乏醞藉；斷辭辨約者，率乖繁縟：譬激水不漪，槁木無陰，自然之勢也。

是以繪事圖色，文辭盡情，色糅而犬馬殊形，情交而雅俗异勢，鎔範所擬，各有司匠，雖無嚴郛，難得逾越。然淵乎文者，并總群勢；奇正雖反，必兼解以俱通；剛柔雖殊，必隨時而適用。若愛典而惡華，則兼通之理偏，似夏人争弓矢，執一不可以獨射也；若雅鄭而共篇，則總一之勢離，是楚人鬻矛譽楯，兩難得而俱售也。是以括囊雜體，功在銓別，宫商朱紫，隨勢各配。章表奏議，則準的乎典雅；賦頌歌詩，則羽儀乎清麗；符檄書移，則楷式於明斷；史論序注，則師範於核要；箴銘碑誄，則體制於弘深；連珠七辭，則從事於巧艷：此循體而成勢，隨變而立功者也。雖復契會相參，節文互雜，譬五色之錦，各以本采爲地矣。

桓譚稱：『文家各有所慕，或好浮華而不知實核，或美衆多而不見要約。』陳思亦云：『世之作者，或好煩文博採，深沈其旨者；或好離言辨白，分毫析釐者：所習不同，所務各异。』言勢殊也。劉楨云：『文之體指實强弱，使其辭已盡而勢有餘，天下一人耳，不可得也。』公幹所談，頗亦兼氣。然文之任勢，勢有剛柔，不必壯言慷慨，乃稱勢也。

又陸雲自稱：『往日論文，先辭而後情，尚勢而不取悅澤，及張公論文，則欲宗其言。』夫情固先辭，勢實須澤，可謂先迷後能從善矣。

自近代辭人，率好詭巧，原其爲體，訛勢所變，厭黷舊式，故穿鑿取新，察其訛意，似難而實無他術也，反正而已。故文反正爲乏，辭反正爲奇。效奇之法，必顛倒文句，上字而抑下，中辭而出外，回互不常，則新色耳。夫通衢夷坦，而多行捷徑者，趨近故也；正文明白，而常務反言者，適俗故也。然密會者以意新得巧，苟異者以失體成怪。舊練之才，則執正以馭奇；新學之銳，則逐奇而失正；勢流不反，則文體遂弊。秉茲情術，可無思耶！

贊曰：形生勢成，始末相承。湍迴似規，矢激如繩。因利騁節，情采自凝。枉轡學步，力止襄陵。

情采第三十一

聖賢書辭，總稱文章，非采而何？夫水性虛而淪漪結，木體實而花萼振，文附質也。虎豹無文，則鞟同犬羊；犀兕有皮，而色資丹漆，質待文也。若乃綜述性靈，敷寫器象，鏤心鳥迹之中，織辭魚網之上，其爲彪炳，縟采名矣。故立文之道，其理有三：一曰形文，五色是也；二曰聲文，五音是也；三曰情文，五性是也。五色雜而成黼黻，五音比而成韶夏，五情發而爲辭章，神理之數也。《孝經》垂典，喪言不文；故知君子常言，未嘗質也。老子疾僞，故稱『美言不信』；而五千精妙，則非弃美矣。莊周云『辯雕萬物』，謂藻飾也。韓非云『艷采辯説』，謂綺麗也。綺麗以艷說，藻飾以辯雕，文辭之變，於斯極矣。研味李老，則知文質附乎性情；詳覽《莊》、《韓》，則見華實過乎淫侈。若擇源於涇渭之流，按轡於邪正之路，亦可以馭文采矣。夫鉛黛所以飾容，而盼倩生於淑姿；文采所以飾言，而辯麗本於情性。故情者，文之經，辭者，理之緯；經正而後緯成，理定而後辭暢，此立文之本源也。

昔詩人什篇，爲情而造文；辭人賦頌，爲文而造情。何以明其然？蓋風雅之興，志思蓄憤，而吟詠情性，以諷其上，此爲情而造文也；諸子之徒，心非鬱陶，苟馳夸飾，鬻聲釣世，此爲文而造情也。故爲情者要約而寫真，爲文者淫麗而煩濫。而後之作者，採濫忽真，遠弃風雅，近師辭賦，故體情之製日疎，逐文之篇愈盛。故有志深軒冕，而泛詠皋壤；心纏幾務，而虛述人外。真宰弗存，翩其反矣。夫桃李不言而成蹊，有實存也；男子樹蘭而不芳，無其情也。夫以草木之微，依情待實；況乎文章，述志爲本，言與志反，文豈足徵？

是以聯辭結采，將欲明經，采濫辭詭，則心理愈翳。固知翠綸桂餌，反所以失魚。『言隱榮華』，殆謂此也。是以『衣錦褧衣』，惡文太章；賁象窮白，貴乎反本。夫能設謨以位理，擬地以置心，心定而後結音，理正而後摛藻，使文不滅質，博不溺心，正采耀乎朱藍，間色屏於紅紫，乃可謂雕琢其章，彬彬君子矣。

贊曰：言以文遠，誠哉斯驗。心術既形，英華乃贍。吳錦好渝，舜英徒艷。繁采寡情，味之必厭。

鎔裁第三十二

情理設位，文采行乎其中。剛柔以立本，變通以趨時。立本有體，意或偏長；趨時無方，辭或繁雜。蹊要所司，職在鎔裁，檃括情理，矯揉文采也。規範本體謂之鎔，剪截浮詞謂之裁。裁則蕪穢不生，鎔則綱領昭暢，譬繩墨之審分，斧斤之斲削矣。駢拇枝指，由侈於性；附贅懸肬，實侈於形。二意兩出，義之駢枝也；同辭重句，文之肬贅也。

凡思緒初發，辭采苦雜，心非權衡，勢必輕重。是以草創鴻筆，先標三準：履端於始，則設情以位體；舉正於中，則酌事以取類；歸餘於終，則撮辭以舉要。然後舒華布實，獻替節文，繩墨以外，美材既斲，故能首尾圓合，條貫統序。若術不素定，而委心逐辭，異端叢至，駢贅必多。

故三準既定，次討字句。句有可削，足見其疏；字不得減，乃知其密。精論要語，極略之體；游心竄句，極繁之體。謂繁與略，隨分所好。引而申之，則兩句敷爲一章；約以貫之，則一章删成兩句。思贍者善敷，才核者善删。善删者字去而意留，善敷者辭殊而意顯。字删而意闕，則短乏而非核；辭敷而言重，則蕪穢而非贍。

昔謝艾、王濟，西河文士，張俊以爲『艾繁而不可删，濟略而不可益』，若二子者，可謂練鎔裁而曉繁略矣。至如士衡才優，而綴辭尤繁；士龍思劣，而雅好清省。及雲之論機，亟恨其多，而稱『清新相接，不以爲病』，蓋崇友于耳。夫美錦製衣，脩短有度，雖玩其采，不倍領袖，巧猶難繁，况在乎拙？而《文賦》以爲『榛楛勿剪，庸音足曲』，其識非不鑒，乃情苦芟繁也。夫百節成體，共資榮衛，萬趣會文，不離辭情。若情周而不繁，辭運而不濫，非夫鎔裁，何以行之乎？

贊曰：篇章户牖，左右相瞰。辭如川流，溢則泛濫。權衡損益，斟酌濃淡。芟繁剪穢，弛於負擔。

聲律第三十三

夫音律所始，本於人聲者也。聲合宮商，肇自血氣，先王因之，以制樂歌。故知器寫人聲，聲非學器者也。故言語者，文章神明樞機，吐納律呂，脣吻而已。古之教歌，先揆以法，使疾呼中宮，徐呼中徵。夫商徵響高，宮羽聲下，抗喉矯舌之差，攢脣激齒之異，廉肉相準，皎然可分。今操琴不調，必知改張，摘文乖張，而不識所調。響在彼弦，乃得克諧，聲萌我心，更失和律，其故何哉？良由內聽難爲聰也。故外聽之易，弦以手定，內聽之難，聲與心紛：可以數求，難以辭逐。凡聲有飛沈，響有雙疊，雙聲隔字而每舛，疊韵雜句而必睽；沈則響發而斷，飛則聲颺不還：并轆轤交往，逆鱗相比，迂其際會，則往蹇來連，其爲疾病，亦文家之吃也。夫吃文爲患，生於好詭，逐新趣异，故喉脣糺紛，將欲解結，務在剛斷。左礙而尋右，末滯而討前，則聲轉於吻，玲玲如振玉；辭靡於耳，纍纍如貫珠矣。是以聲畫妍蚩，寄在吟詠，吟詠滋味，流於字句。氣力窮於和韻。异音相從謂之和，同聲相應謂之韻。韻氣一定，則餘聲易遣；和體抑揚，故遺響難契。屬筆易巧，選和至難，綴文難精，而作韻甚易。雖纖意曲變，非可縷言，然振其大綱，不出兹論。

若夫宮商大和，譬諸吹籥；翻迴取均，頗似調瑟。瑟資移柱，故有時而乖貳；籥含定管，故無往而不壹。陳思、潘岳，吹籥之調也；陸機、左思，瑟柱之和也。概舉而推，可以類見。

又詩人綜韻，率多清切，《楚辭》辭楚，故訛韻實繁。及張華論韻，謂士衡多楚，《文賦》亦稱知楚不易，可謂銜靈均之聲餘，失黃鍾之正響也。凡切韻之動，勢若轉圜；訛音之作，甚於枘方。免乎枘方，則無大過矣。練才洞鑒，剖字鑽響，識疎闊略，隨音所遇，若長風之過籟，南郭之吹竽耳。古之佩玉，左宮右徵，以節其步，聲不失序。音以律文，其可忘哉？

贊曰：標情務遠，比音則近。吹律胸臆，調鍾唇吻。聲得鹽梅，響滑榆槿。割弃支離，宮商難隱。

章句第三十四

夫設情有宅，置言有位；宅情曰章，位言曰句。故章者，明也；句者，局也。局言者，聯字以分疆；明情者，總義以包體。區畛相異，而衢路交通矣。夫人之立言，因字而生句，積句而成章，積章而成篇。篇之彪炳，章無疵也；章之明靡，句無玷也；句之清英，字不妄也。振本而末從，知一而萬畢矣。

夫裁文匠筆，篇有大小；離章合句，調有緩急；隨變適會，莫見定準。句司數字，待相接以爲用；章總一義，須意窮而成體。其控引情理，送迎際會，譬舞容迴環，而有綴兆之位；歌聲靡曼，而有抗墜之節也。尋詩人擬喻，雖斷章取義，然章句在篇，如繭之抽緒，原始要終，體必鱗次。啓行之辭，逆萌中篇之意；絶筆之言，追媵前句之旨：故能外文綺交，内義脉注，跗萼相銜，首尾一體。若辭失其朋，則羈旅而無友；事乖其次，則飄寓而不安。是以搜句忌於顛倒，裁章貴於順序，斯固情趣之指歸，文筆之同致也。若夫筆句無常，而字有條數，四字密而不促，六字格而非緩，或變之以三五，蓋應機之權節也。至於詩頌大體，以四言爲正，唯《祈父》《肇禋》，以二言爲句。尋二言肇於黄世，《竹彈》之謡是也；三言興於虞時，《元首》之詩是也；四言廣於夏年，《洛汭之歌》是也；五言見於周代，《行露》之章是也；六言七言，雜出《詩》、《騷》；而體之篇，成於兩漢：情數運周，隨時代用矣。

若乃改韻從調，所以節文辭氣，賈誼、枚乘，兩韻輒易；劉歆、桓譚，百句不遷：亦各有其志也。昔魏武論賦，嫌於積韻，而善於資代。

陸雲亦稱『四言轉句，以四句爲佳』。觀彼制韻，志同枚、賈。然兩韻輒易，則聲韻微躁；百句不遷，則唇吻告勞；妙才激揚，雖觸思利貞，曷若折之中和，庶保無咎。

又詩人以『兮』字入於句限，《楚辭》用之，字出句外。尋兮字成句，乃語助餘聲，舜詠《南風》，用之久矣，而魏武弗好，豈不以無益文義耶？至於『夫惟蓋故』者，發端之首唱；『之而於以』者，乃札句之舊體；『乎哉矣也』，亦送末之常科。據事似閑，在用實切。巧者迴運，彌縫文體，將令數句之外，得一字之助矣。外字難謬，況章句歟。

贊曰：斷章有檢，積句不恒。理資配主，辭忌失朋。環情草調，宛轉相騰。離合同异，以盡厥能。

麗辭第三十五

造化賦形，支體必雙，神理爲用，事不孤立。夫心生文辭，運裁百慮，高下相須，自然成對。唐虞之世，辭未極文，而皋陶贊云：『罪疑惟輕，功疑惟重。』益陳謨云：『滿招損，謙受益。』豈營麗辭？率然對爾。《易》之《文》、《繫》，聖人之妙思也。序《乾》四德，則句句相銜；龍虎類感，則字字相儷；乾坤易簡，則宛轉相承；日月往來，則隔行懸合：雖句字或殊，而偶意一也。至於詩人偶章，大夫聯辭，奇偶適變，不勞經營。自揚馬張蔡，崇盛麗辭，如宋畫吳冶，刻形鏤法，麗句與深采并流，偶意共逸韻俱發。至魏晉群才，析句彌密，聯字合趣，剖毫析釐。然契機者入巧，浮假者無功。

故麗辭之體，凡有四對：言對爲易，事對爲難，反對爲優，正對爲劣。言對者，雙比空辭者也；事對者，并舉人驗者也；反對者，理殊趣合者也；正對者，事异義同者也。長卿《上林賦》云：『修容乎禮園，翺翔乎書圃。』此言對之類也。宋玉《神女賦》云：『毛嬙鄣袂，不足程式；西施掩面，比之無色。』此事對之類也。仲宣《登樓》云：『鍾儀幽而楚奏，莊舄顯而越吟。』此反對之類也。孟陽《七哀》云：『漢祖想枌榆，光武思白水。』此正對之類也。凡偶辭胸臆，言對所以爲易也；徵人之學，事對所以爲難也；幽顯同志，反對所以爲優也；并貴共心，正對所以爲劣也。又以事對，各有反正，指類而求，萬條自昭然矣。

張華詩稱『遊雁比翼翔，歸鴻知接翮』；劉琨詩言『宣尼悲獲麟，西狩泣孔丘』：若斯重出，即對句之駢枝也。

是以言對爲美，貴在精巧；事對所先，務在允當。若兩事相配，而優劣不均，是驥在左驂，駑爲右服也。若夫事或孤立，莫與相偶，是夔之一足，趻踔而行也。若氣無奇類，文乏异采，碌碌麗辭，則昏睡耳目。必使理圓事密，聯璧其章，迭用奇偶，節以雜佩，乃其貴耳。類此而思，理自見也。

贊曰：體植必兩，辭動有配。左提右挈，精味兼載。炳爍聯華，鏡静含態。玉潤雙流，如彼珩珮。

比興第三十六

《詩》文弘奧，包韞六義，毛公述《傳》，獨標『興體』，豈不以『風』通而『賦』同，『比』顯而『興』隱哉？故比者，附也；興者，起也。附理者切類以指事，起情者依微以擬議。起情故興體以立，附理故比例以生。比則畜憤以斥言，興則環譬以記諷。蓋隨時之義不一，故詩人之志有二也。

觀夫興之託諭，婉而成章，稱名也小，取類也大。關雎有別，故后妃方德；尸鳩貞一，故夫人象義。義取其貞，無從于夷禽；德貴其別，不嫌於鷙鳥：明而未融，故發注而後見也。且何謂爲比？蓋寫物以附意，颺言以切事者也。故金錫以喻明德，珪璋以譬秀民，螟蛉以類教

誨，蜩螗以寫號呼，澣衣以擬心憂，席卷以方志固，凡斯切象，皆比義也。至如『麻衣如雪』，『兩驂如舞』，若斯之類，皆比類者也。楚襄信讒，而三閭忠烈，依《詩》製《騷》，諷兼比興。炎漢雖盛，而辭人夸毗，詩刺道喪，故興義銷亡。於是賦頌先鳴，故比體雲構，紛紜雜遝，信舊章矣。

夫比之爲義，取類不常：或喻於聲，或方於貌，或擬於心，或譬於事。宋玉《高唐》云：『纖條悲鳴，聲似竽籟。』此比聲之類也；枚乘《菟園》云：『猋猋紛紛，若塵埃之間白雲。』此則比貌之類也；賈生《鵩賦》云：『禍之與福，何异糾纆。』此以物比理者也；王褒《洞簫》云：『優柔温潤，如慈父之畜子也。』此以聲比心者也；馬融《長笛》云：『繁縟絡繹，范蔡之説也。』此以響比辯者也；張衡《南都》云：『起鄭

舞，蠶曳緒。』此以容比物者也。若斯之類，辭賦所先，日用乎比，月忘乎興，習小而弃大，所以文謝於周人也。至於揚班之倫，曹劉以下，圖狀山川，影寫雲物，莫不織綜比義，以敷其華，驚聽回視，資此效績。又安仁《螢賦》云『流金在沙』，季鷹《雜詩》云『青條若總翠』，皆其義者也。故比類雖繁，以切至爲貴，若刻鵠類鶩，則無所取焉。

贊曰：詩人比興，觸物圓覽。物雖胡越，合則肝膽。擬容取心，斷辭必敢。攢雜詠歌，如川之渙。

夸飾第三十七

夫形而上者謂之道，形而下者謂之器。神道難摹，精言不能追其極；形器易寫，壯辭可得喻其真；才非短長，理自難易耳。故自天地以降，豫人聲貌，文辭所被，夸飾恒存。雖《詩》、《書》雅言，風格訓世，事必宜廣，文亦過焉。是以言峻則嵩高極天，論狹則河不容舠，說多則子孫千億，稱少則民靡孑遺；襄陵舉滔天之目，倒戈立漂杵之論；辭雖已甚，其義無害也。且夫鴞音之醜，豈有泮林而變好；荼味之苦，寧以周原而成飴：并意深褒讚，故義成矯飾。大聖所録，以垂憲章，孟軻所云『說詩者不以文害辭，不以辭害意』也。

自宋玉、景差，夸飾始盛。相如憑風，詭濫愈甚：故上林之館，奔星與宛虹入軒；從禽之盛，飛廉與鷦鷯俱獲。及揚雄《甘泉》，酌其餘波，語瓌奇則假珍於玉樹，言峻極則顛墜於鬼神。至《東都》之比目，《西京》之海若，驗理則理無不驗，窮飾則飾猶未窮矣。又子雲《羽獵》，鞭宓妃以饟屈原；張衡《羽獵》，困玄冥於朔野。孌彼洛神，既非罔兩；惟此水師，亦非魑魅。而虛用濫形，不其疎乎！此欲夸其威而飾其事義暌剌也。至如氣貌山海，體勢宮殿，嵯峨揭業，熠燿焜煌之狀，光采煒煒而欲然，聲貌岌岌其將動矣。莫不因夸以成狀，沿飾而得奇也。於是後進之才，奬氣挾聲，軒翥而欲奮飛，騰擲而羞跼步。辭入煒燁，春藻不能程其艷；言在萎絶，寒谷未足成其凋；談歡則字與笑并，論慼則聲共泣偕，信可以發蘊而飛滯，披瞽而駭聾矣。

然飾窮其要，則心聲鋒起，夸過其理，則名實兩乖。若能酌《詩》、《書》之曠旨，翦揚馬之甚泰，使夸而有節，飾而不誣，亦可謂之懿也。

贊曰：夸飾在用，文豈循檢。言必鵬運，氣靡鴻漸。倒海探珠，傾崐取琰。曠而不溢，奢而無玷。

事類第三十八

事類者，蓋文章之外，據事以類義，援古以證今者也。昔文王繇《易》，剖判爻位，《既濟》九三，遠引高宗之伐；《明夷》六五，近書箕子之貞：斯略舉人事，以徵義者也。至若胤征羲和，陳《政典》之訓；盤庚誥民，叙遲任之言：此全引成辭，以明理者也。然則明理引乎成辭，徵義舉乎人事，乃聖賢之鴻謨，經籍之通矩也。《大畜》之象，『君子以多識前言往行』，亦有包於文矣。

觀夫屈宋屬篇，號依詩人，雖引古事，而莫取舊辭。唯賈誼《鵩賦》，始用鶡冠之説；相如《上林》，撮引李斯之書：此萬分之一會也。及揚雄《百官箴》，頗酌於《詩》、《書》；劉歆《遂初賦》，歷叙於紀傳：

漸漸綜採矣。至於崔班張蔡，遂捃摭經史，華實布濩，因書立功，皆後人之範式也。

夫薑桂同地，辛在本性；文章由學，能在天資。才自内發，學以外成，有學飽而才餒，有才富而學貧。學貧者，迍邅於事義；才餒者，劬勞於辭情：此内外之殊分也。是以屬意立文，心與筆謀，才爲盟主，學爲輔佐，主佐合德，文采必霸，才學褊狹，雖美少功。夫以子雲之才，而自奏不學，及觀書石室，乃成鴻采。表裏相資，古今一也。故魏武稱張子之文爲拙，然學問膚淺，所見不博，專拾掇崔杜小文，所作不可悉難，難便不知所出。斯則寡聞之病也。夫經典沈深，載籍浩瀚，實群言之奥區，而才思之神皋也。揚班以下，莫不取資，任力耕耨，縱意漁獵，操刀能割，必列膏腴，是以將贍才力，務在博見，狐腋非一皮能温，雞蹠必數千而飽矣。是以綜學在博，取事貴約，校練務精，捃理須核，衆美輻輳，表裏發揮。劉劭《趙都賦》云：『公子之客，叱勁楚令歃盟；管庫隸臣，呵强秦使鼓缶。』用事如斯，可稱理得而義要矣。故事得其要，雖小成績，譬寸轄制輪，尺樞運關也。或微言美事，置於閑散，是綴金翠於足脛，靚粉黛於胸臆也。凡用舊合機，不啻自其口出，引事乖謬，雖千載而爲瑕。

陳思，群才之英也，《報孔璋書》云：『葛天氏之樂，千人唱，萬人和，聽者因以蔑《韶》、《夏》矣。』此引事之實謬也。按葛天之歌，唱和三人而已。相如《上林》云：『奏陶唐之舞，聽葛天之歌，千人唱，萬人和。』唱和千萬人，乃相如接人。然而濫侈葛天，推三成萬者，信賦妄書，致斯謬也。陸機《園葵》詩云：『庇足同一智，生理合异端。』夫葵能

衛足，事譏鮑莊；葛藟庇根，辭自樂豫。若譬葛爲葵，則引事爲謬；若謂庇勝衛，則改事失真：斯又不精之患。夫以子建明練，士衡沈密，而不免於謬。曹仁之謬高唐，又曷足以嘲哉？夫山木爲良匠所度，經書爲文士所擇，木美而定於斧斤，事美而制於刀筆，研思之士，無慚匠石矣。

贊曰：經籍深富，辭理遐亘。皜如江海，鬱若崐鄧。文梓共採，瓊珠交贈。用人若己，古來無慉。

練字第三十九

夫文象列而結繩移，鳥迹明而書契作，斯乃言語之體貌，而文章之宅宇也。蒼頡造之，鬼哭粟飛；黄帝用之，官治民察。先王聲教，書必同文，輶軒之使，紀言殊俗，所以一字體，總异音。《周禮》保氏，掌教六書。秦滅舊章，以吏爲師。乃李斯删籀而秦篆興，程邈造隸而古文廢。漢初草律，明著厥法，太史學童，教試六體；又吏民上書，字謬輒劾。是以馬字缺畫，而石建懼死，雖云性慎，亦時重文也。至孝武之世，則相如撰篇。及宣成二帝，徵集小學，張敞以正讀傳業，揚雄以奇字纂訓，并貫練雅頌，總閱音義，鴻筆之徒，莫不洞曉。且多賦京苑，假借形聲，是以前漢小學，率多瑋字，非獨制异，乃共曉難也。暨乎後漢，小學轉疎，複文隱訓，臧否大半。及魏代綴藻，則字有常檢，追觀漢作，翻成阻奥。故陳思稱揚馬之作，趣幽旨深，讀者非師傳不能析其辭，非博學不能綜其理。豈直才懸，抑亦字隱。自晋來用字，率從簡易，時并習易，人誰取難。今一字詭异，則群句震驚，三人弗識，則將成字妖矣。後世所同曉者，雖難斯易，時所共廢，雖易斯難，趣舍之間，不可不察。

夫《爾雅》者，孔徒之所纂，而《詩》、《書》之襟帶也；《倉頡》者，李斯之所輯，而鳥籀之遺體也。《雅》以淵源詁訓，《頡》以苑囿奇文，异體相資，如左右肩股，該舊而知新，亦可以屬文。若夫義訓古今，興廢殊用，字形單複，妍媸异體，心既託聲於言，言亦寄形於字，諷誦則績在宫商，臨文則能歸字形矣。

是以綴字屬篇，必須練擇：一避詭异，二省聯邊，三權重出，四調單複。詭异者，字體瑰怪者也。曹攄詩稱『豈不顧斯遊，褊心惡凶呶』。兩字詭异，大疵美篇，况乃過此，其可觀乎！聯邊者，半字同文者也。狀貌山川，古今咸用，施於常文，則齟齬爲瑕，如不獲免，可至三接，三接之外，其字林乎！重出者，同字相犯者也。《詩》、《騷》適會，而近世忌同，若兩字俱要，則寧在相犯。故善爲文者，富於萬篇，貧於一字，一字非少，相避爲難也。單複者，字形肥瘠者也。瘠字累句，則纖疎而行劣；肥字積文，則黯黮而篇闇。善酌字者，參伍單複，磊落如珠矣。凡此四條，雖文不必有，而體例不無。若值而莫悟，則非精解。

至於經典隱曖，方册紛綸，簡蠹帛裂，三寫易字，或以音訛，或以文變。子思弟子，『於穆不祀』者，音訛之异也。晉之史記，『三豕渡河』，文變之謬也。《尚書大傳》有『別風淮雨』，《帝王世紀》云『列風淫雨』。『別』、『列』、『淮』、『淫』，字似潛移。『淫』、『列』義當而不奇，『淮』、『別』理乖而新异。傅毅制誄，已用『淮雨』，固知愛奇之心，古今一也。史之闕文，聖人所慎，若依義弃奇，則可與正文字矣。

贊曰：篆隸相鎔，蒼雅品訓。古今殊迹，妍媸异分。字靡异流，文阻難運。聲畫昭精，墨采騰奮。

隱秀第四十

夫心術之動遠矣，文情之變深矣，源奧而派生，根盛而穎峻，是以文之英蕤，有秀有隱。隱也者，文外之重旨者也；秀也者，篇中之獨拔者也。隱以複意爲工，秀以卓絶爲巧，斯乃舊章之懿績，才情之嘉會也。夫隱之爲體，義主文外，祕響傍通，伏采潛發，譬爻象之變互體，川瀆之韞珠玉也。故互體變爻，而化成四象；珠玉潛水，而瀾表方圓。始正而末奇，內明而外潤，使玩之者無窮，味之者不厭矣。彼波起辭間，是謂之秀，纖手麗音，宛乎逸態，若遠山之浮煙靄，孌女之靚容華。然煙靄天成，不勞於粧點；容華格定，無待於裁鎔；深淺而各奇，穠纖而俱妙，若揮之則有餘，而攬之則不足矣。

夫立意之士，務欲造奇，每馳心於玄默之表；工辭之人，必欲臻美，恒溺思於佳麗之鄉。嘔心吐膽，不足語窮；煅歲煉年，奚能喻苦？故能藏穎詞間，昏迷於庸目；露鋒文外，驚絶乎妙心。使醞藉者蓄隱而意愉，英鋭者抱秀而心悦，譬諸裁雲製霞，不讓乎天工，斲卉刻葩，有同乎神匠矣。若篇中乏隱，等宿儒之無學，或一叩而語窮；句間鮮秀，如巨室之少珍，若百詰而色沮：斯并不足於才思，而亦有媿於文辭矣。將欲徵隱，聊可指篇：古詩之離别，樂府之長城，詞怨旨深，而復兼乎比興。陳思之《黃雀》，公幹之《青松》，格剛才勁，而并長於諷諭；叔夜之□□，嗣宗之□□，境玄思澹，而獨得乎優閑；士衡之□□，彭澤之□□，心密語澄，而俱適乎□□。如欲辨秀，亦惟摘句：『常恐秋節至，涼飈奪炎熱』，意悽而詞婉，此匹婦之無聊也；『臨河濯長縷，念子悵悠悠』，志高而言壯，此丈夫之不遂也；『東西安所之，徘徊以旁皇』，心孤而情懼，此閨房之悲極也；『朔風動秋草，邊馬有歸心』，氣寒而事傷，此羈旅之怨曲也。

凡文集勝篇，不盈十一；篇章秀句，裁可百二：并思合而自逢，非研慮之所求也。或有晦塞爲深，雖奧非隱，雕削取巧，雖美非秀矣。故自然會妙，譬卉木之耀英華；潤色取美，譬繒帛之染朱綠。朱綠染繒，深而繁鮮；英華曜樹，淺而煒燁：秀句所以照文苑，蓋以此也。

贊曰：深文隱蔚，餘味曲包。辭生互體，有似變爻。言之秀矣，萬慮一交。動心驚耳，逸響笙匏。

指瑕第四十一

管仲有言：無翼而飛者聲也，無根而固者情也。然則聲不假翼，其飛甚易；情不待根，其固匪難：以之垂文，可不慎歟！古來文才，异世爭驅。或逸才以爽迅，或精思以纖密，而慮動難圓，鮮無瑕病。陳思之文，群才之俊也，而《武帝誄》云『尊靈永蟄』，《明帝頌》云『聖體浮輕』，浮輕有似於胡蝶，永蟄頗疑於昆蟲，施之尊極，豈其當乎？左思《七諷》，説孝而不從，反道若斯，餘不足觀矣。潘岳爲才，善於哀文，然悲內兄，則云『感口澤』，傷弱子，則云『心如疑』。《禮》文在尊極，而施之下流，辭雖足哀，義斯替矣。若夫君子擬人必於其倫，而崔瑗之誄李公，比行於黃虞，向秀之賦嵇生，方罪於李斯；與其失也，雖寧僭無

濫，然高厚之詩，不類甚矣。凡巧言易標，拙辭難隱，斯言之玷，實深白圭，繁例難載，故略舉四條。

若夫立文之道，惟字與義。字以訓正，義以理宣。而晋末篇章，依希其旨，始有『賞際奇至』之言，終無『撫叩酬即』之語，每單舉一字，指以爲情。夫賞訓錫賚，豈關心解；撫訓執握，何預情理？《雅》《頌》未聞，漢魏莫用，懸領似如可辯，課文了不成義：斯實情訛之所變，文澆之致弊。而宋來才英，未之或改，舊染成俗，非一朝也。近代辭人，率多猜忌，至乃比語求蚩，反音取瑕，雖不屑於古，而有擇於今焉。又製同他文，理宜刪革，若排人美辭，以爲己力，寶玉大弓，終非其有。全寫則揭篋，傍采則探囊，然世遠者太輕，時同者爲尤矣。

若夫注解爲書，所以明正事理；然謬於研求，或率意而斷。《西京

賦》稱『中黄、育、獲』之疇，而薛綜謬注謂之『閹尹』，是不聞執雕虎之人也。又《周禮》井賦，舊有『疋馬』；而應劭釋疋，或量首數蹄，斯豈辯物之要哉？原夫古之正名，車兩而馬疋，疋兩稱目，以并耦爲用。蓋車貳佐乘，馬儷驂服，服乘不隻，故名號必雙，名號一正，則雖單爲疋矣。疋夫疋婦，亦配義矣。夫車馬小義，而歷代莫悟；辭賦近事，而千里致差；況鑽灼經典，能不謬哉！夫辯言而數筌蹄，選勇而驅閹尹，失理太甚，故舉以爲戒。丹青初炳而後渝，文章歲久而彌光，若能隱括於一朝，可以無慚於千載也。

贊曰：羿氏舛射，東野敗駕。雖有儁才，謬則多謝。斯言一玷，千載弗化。令章靡疚，亦善之亞。

養氣第四十二

昔王充著述，制《養氣》之篇，驗己而作，豈虚造哉！夫耳目鼻口，生之役也；心慮言辭，神之用也。率志委和，則理融而情暢；鑽礪過分，則神疲而氣衰：此性情之數也。夫三皇辭質，心絶於道華；帝世始文，言貴於敷奏；三代春秋，雖沿世彌縟，并適分胸臆，非牽課才外也。戰代枝詐，攻奇飾説；漢世迄今，辭務日新，争光鬻采，慮亦竭矣。故淳言以比澆辭，文質懸乎千載；率志以方竭情，勞逸差於萬里；古人所以餘裕，後進所以莫遑也。

凡童少鑒淺而志盛，長艾識堅而氣衰，志盛者思鋭以勝勞，氣衰者慮密以傷神，斯實中人之常資，歲時之大較也。若夫器分有限，智用無涯，或慚鳧企鶴，瀝辭鐫思，於是精氣內銷，有似尾閭之波；神志外傷，同乎牛山之木；怛惕之盛疾，亦可推矣。至如仲任置硯以綜述，叔通懷筆以專業，既暄之以歲序，又煎之以日時，是以曹公懼爲文之傷命，陸雲嘆用思之困神，非虛談也。

夫學業在勤，功庸弗怠，故有錐股自厲，和態以苦之人。志於文也，則申寫鬱滯，故宜從容率情，優柔適會。若銷鑠精膽，蹙迫和氣，秉牘以驅齡，灑翰以伐性，豈聖賢之素心，會文之直理哉！且夫思有利鈍，時有通塞，沐則心覆，且或反常，神之方昏，再三愈黷。是以吐納文藝，務在節宣，清和其心，調暢其氣，煩而即捨，勿使壅滯；意得則舒懷以命筆，理伏則投筆以卷懷，逍遙以針勞，談笑以藥勌，常弄閑於才鋒，賈餘於文勇，使刃發如新，湊理無滯，雖非胎息之邁術，斯亦衛氣

之一方也。

贊曰：紛哉萬象，勞矣千想。玄神宜寶，素氣資養。水停以鑒，火靜而朗。無擾文慮，鬱此精爽。

附會第四十三

何謂附會？謂總文理，統首尾，定與奪，合涯際，彌綸一篇，使雜而不越者也。若築室之須基構，裁衣之待縫緝矣。夫才量學文，宜正體製，必以情志爲神明，事義爲骨髓，辭采爲肌膚，宫商爲聲氣，然後品藻玄黄，摛振金玉，獻可替否，以裁厥中：斯綴思之恒數也。凡大體文章，類多枝派，整派者依源，理枝者循幹。是以附辭會義，務總綱領，驅萬塗於同歸，貞百慮於一致。使衆理雖繁，而無倒置之乖，群言雖多，而無棼絲之亂，扶陽而出條，順陰而藏迹，首尾周密，表裏一體，此附會之術也。夫畫者謹髮而易貌，射者儀毫而失墻，鋭精細巧，必疎體統。故宜詘寸以信尺，枉尺以直尋，弃偏善之巧，學具美之績，此命篇之經略也。

夫文變多方，意見浮雜，約則義孤，博則辭叛，率故多尤，需爲事賊。且才分不同，思緒各异，或製首以通尾，或尺接以寸附，然通製者蓋寡，接附者甚衆。若統緒失宗，辭味必亂，義脉不流，則偏枯文體。夫能懸識湊理，然後節文自會，如膠之粘木，豆之合黄矣。是以駟牡异力，而六轡如琴，并駕齊驅，而一轂統輻，馭文之法，有似於此。去留隨心，修短在手，齊其步驟，總轡而已。

故善附者异旨如肝膽，拙會者同音如胡越，改章難於造篇，易字艱於代句，此已然之驗也。昔張湯擬奏而再却，虞松草表而屢譴，并事理之不明，而詞旨之失調也。及倪寬更草，鍾會易字，而漢武嘆奇，晋景稱善者，乃理得而事明，心敏而辭當也。以此而觀，則知附會巧拙，相去遠哉！若夫絕筆斷章，譬乘舟之振楫；會詞切理，如引轡以揮鞭。克終底績，寄深寫遠。若首唱榮華，而媵句憔悴，則遺勢鬱湮，餘風不暢。此《周易》所謂「臀無膚，其行次且」也。惟首尾相援，則附會之體，固亦無以加於此矣。

贊曰：篇統間關，情數稠疊。原始要終，疎條布葉。道味相附，懸緒自接。如樂之和，心聲克協。

總術第四十四

今之常言，有「文」有「筆」，以爲無韻者「筆」也，有韻者「文」也。夫文以足言，理兼《詩》《書》，別目兩名，自近代耳。顔延年以爲：「筆之爲體，言之文也；經典則言而非筆，傳記則筆而非言。」請奪彼矛，還攻其楯矣。何者？《易》之《文言》，豈非言文？若筆不言文，不得云經典非筆矣。將以立論，未見其論立也。予以爲發口爲言，屬筆曰翰，常道曰經，述經曰傳。經傳之體，出言入筆，筆爲言使，可强可弱。分經以典奧爲不刊，非以言筆爲優劣也。昔陸氏《文賦》，號爲曲盡，然泛論纖悉，而實體未該。故知九變之貫匪窮，知言之選難備矣。

凡精慮造文，各競新麗，多欲練辭，莫肯研術。落落之玉，或亂乎石；碌碌之石，時似乎玉。精者要約，匱者亦尠；博者該贍，蕪者亦繁；辯者昭晳，淺者亦露；奧者複隱，詭者亦典。或義華而聲悴，或理拙而文澤。知夫調鐘未易，張琴實難。伶人告和，不必盡窕槬桍之中；動用揮扇，何必窮初終之韻；魏文比篇章於音樂，蓋有徵矣。夫不截盤根，無以驗利器；不剖文奧，無以辨通才。才之能通，必資曉術，自非圓鑒區域，大判條例，豈能控引情源，制勝文苑哉？

是以執術馭篇，似善弈之窮數；弃術任心，如博塞之邀遇。故博塞之文，借巧儻來，雖前驅有功，而後援難繼。少既無以相接，多亦不知所刪，乃多少之并惑，何妍蚩之能制乎？若夫善弈之文，則術有恒數，按部整伍，以待情會，因時順機，動不失正。數逢其極，機入其巧，則義味騰躍而生，辭氣叢雜而至。視之則錦繪，聽之則絲簧，味之則甘

腴，佩之則芬芳，斷章之功，於斯盛矣。夫驥足雖駿，纆牽忌長，以萬分一累，且廢千里。況文體多術，共相彌綸，一物攜貳，莫不解體。所以列在一篇，備總情變，譬三十之輻，共成一轂，雖未足觀，亦鄙夫之見也。

贊曰：文場筆苑，有術有門。務先大體，鑒必窮源。乘一總萬，舉要治繁。思無定契，理有恒存。

時序第四十五

時運交移，質文代變，古今情理，如可言乎！昔在陶唐，德盛化鈞，野老吐「何力」之談，郊童含「不識」之歌。有虞繼作，政阜民暇，薰風詩於元后，「爛雲」歌於列臣。盡其美者何？乃心樂而聲泰也。至大禹敷土，九序詠功；成湯聖敬，「猗歟」作頌。逮姬文之德盛，《周南》勤而不怨；大王之化淳，《邠風》樂而不淫；幽厲昏而《板》《蕩》怒，平王微而《黍離》哀。故知歌謠文理，與世推移，風動於上，而波震於下者。春秋以後，角戰英雄，六經泥蟠，百家飆駭。方是時也，韓魏力政，燕趙任權，五蠹六虱，嚴於秦令；唯齊楚兩國，頗有文學。齊開莊衢之第，楚廣蘭臺之宮，孟軻賓館，荀卿宰邑，故稷下扇其清風，蘭陵鬱其茂俗，鄒子以談天飛譽，騶奭以雕龍馳響，屈平聯藻於日月，宋玉交彩於風雲。觀其艷說，則籠罩《雅》、《頌》，故知暐燁之奇意，出乎縱橫之詭俗也。

爰至有漢，運接燔書，高祖尚武，戲儒簡學。雖禮律草創，《詩》、《書》未遑，然《大風》、《鴻鵠》之歌，亦天縱之英作也。施及孝惠，迄於文景，經術頗興，而辭人勿用，賈誼抑而鄒枚沈，亦可知已。逮孝武崇儒，潤色鴻業，禮樂爭輝，辭藻競騖：柏梁展朝讌之詩，金堤製恤民之詠，徵枚乘以蒲輪，申主父以鼎食，擢公孫之對策，嘆兒寬之擬奏，買臣負薪而衣錦，相如滌器而被綉；於是史遷壽王之徒，嚴終枚皋之屬，應對固無方，篇章亦不匱，遺風餘采，莫與比盛。越昭及宣，實繼武績，馳騁石渠，暇豫文會，集雕篆之軼材，發綺縠之高喻，於是王褒之倫，底禄待詔。自元暨成，降意圖籍，美玉屑之譚，清金馬之路，子雲鋭思於千首，子政讎校於六藝，亦已美矣。爰自漢室，迄至成哀，雖世漸百齡，辭人九變，而大抵所歸，祖述《楚辭》，靈均餘影，於是乎在。

自哀平陵替，光武中興，深懷圖讖，頗略文華，然杜篤獻誄以免刑，班彪參奏以補令，雖非旁求，亦不遐弃。及明帝疊耀，崇愛儒術，肄禮璧堂，講文虎觀，孟堅珥筆於國史，賈逵給札於瑞頌，東平擅其懿文，沛王振其通論，帝則藩儀，輝光相照矣。自安和已下，迄至順桓，則有班傅三崔，王馬張蔡，磊落鴻儒，才不時乏，而文章之選，存而不論。然中興之後，群才稍改前轍，華實所附，斟酌經辭，蓋歷政講聚，故漸靡儒風者也。降及靈帝，時好辭製，造羲皇之書，開鴻都之賦，而樂松之徒，招集淺陋，故楊賜號爲驩兜，蔡邕比之俳優，其餘風遺文，蓋蔑如也。

自獻帝播遷，文學蓬轉，建安之末，區宇方輯。魏武以相王之尊，雅愛詩章；文帝以副君之重，妙善辭賦；陳思以公子之豪，下筆琳瑯：并體貌英逸，故俊才雲蒸。仲宣委質於漢南，孔璋歸命於河北，偉長從宦於青土，公幹徇質於海隅，德璉綜其斐然之思，元瑜展其翩翩之樂；文蔚、休伯之儔，于叔、德祖之侣，傲雅觴豆之前，雍容衽席之上，灑筆以成酣歌，和墨以藉談笑。觀其時文，雅好慷慨，良由世積亂離，風衰俗怨，并志深而筆長，故梗概而多氣也。至明帝纂戎，制詩度曲，徵篇章之士，置崇文之觀，何劉群才，迭相照耀。少主相仍，唯高貴英雅，顧盼合章，動言成論。於時正始餘風，篇體輕澹，而嵇阮應繆，并馳文路矣。

逮晋宣始基，景文克構，并迹沈儒雅，而務深方術。至武帝惟新，承平受命，而膠序篇章，弗簡皇慮。降及懷愍，綴旒而已。然晉雖不文，人才實盛：茂先搖筆而散珠，太冲動墨而橫錦，岳湛曜聯璧之華，機雲標二俊之采，應傅三張之徒，孫摯成公之屬，并結藻清英，流韻綺靡。前史以爲運涉季世，人未盡才，誠哉斯談，可爲嘆息！

元皇中興，披文建學，劉刁禮吏而寵榮，景純文敏而優擢。逮明帝秉哲，雅好文會，升儲御極，孳孳講藝，練情於誥策，振采於辭賦，庾以筆才逾親，溫以文思益厚，揄揚風流，亦彼時之漢武也。及成康促齡，穆哀短祚，簡文勃興，淵乎清峻，微言精理，函滿玄席，澹思濃采，時灑文囿。至孝武不嗣，安恭已矣。其文史則有袁殷之曹，孫干之輩，雖才或淺深，珪璋足用。自中朝貴玄，江左稱盛，因談餘氣，流成文體。是以世極迍邅，而辭意夷泰，詩必柱下之旨歸，賦乃漆園之義疏。故知文變染乎世情，興廢繫乎時序，原始以要終，雖百世可知也。

自宋武愛文，文帝彬雅，秉文之德，孝武多才，英采雲搆。自明帝以下，文理替矣。爾其縉紳之林，霞蔚而飆起；王袁聯宗以龍章，顏謝重葉以鳳采，何范張沈之徒，亦不可勝也。蓋聞之於世，故略舉大較。

暨皇齊馭寶，運集休明：太祖以聖武膺籙，高祖以睿文纂業，文帝以貳離含章，中宗以上哲興運，并文明自天，緝遐景祚。今聖歷方興，文思光被，海岳降神，才英秀發，馭飛龍於天衢，駕騏驥於萬里，經典禮章，跨周轢漢，唐虞之文，其鼎盛乎！鴻風懿采，短筆敢陳；颺言讚時，請寄明哲。

贊曰：蔚映十代，辭采九變。樞中所動，環流無倦。質文沿時，崇替在選。終古雖遠，曠焉如面。

物色第四十六

春秋代序，陰陽慘舒，物色之動，心亦搖焉。蓋陽氣萌而玄駒步，陰律凝而丹鳥羞，微蟲猶或入感，四時之動物深矣。若夫珪璋挺其惠心，英華秀其清氣，物色相召，人誰獲安？是以獻歲發春，悦豫之情暢；滔滔孟夏，鬱陶之心凝；天高氣清，陰沈之志遠；霰雪無垠，矜肅之慮深。歲有其物，物有其容；情以物遷，辭以情發。一葉且或迎意，蟲聲有足引心。況清風與明月同夜，白日與春林共朝哉！

是以詩人感物，聯類不窮。流連萬象之際，沈吟視聽之區；寫氣圖貌，既隨物以宛轉；屬采附聲，亦與心而徘徊。故「灼灼」狀桃花之鮮，「依依」盡楊柳之貌，「杲杲」爲出日之容，「瀌瀌」擬雨雪之狀，「喈喈」逐黃鳥之聲，「喓喓」學草蟲之韻。「皎日」、「嘒星」，一言窮理；「參差」、「沃若」，兩字窮形：并以少總多，情貌無遺矣。雖復思經千載，將何易奪？及《離騷》代興，觸類而長，物貌難盡，故重沓舒狀，於是嵯峨之類聚，葳蕤之群積矣。及長卿之徒，詭勢瑰聲，模山範水，字必魚貫，所謂詩人麗則而約言，辭人麗淫而繁句也。

至如《雅》詠棠華，「或黃或白」；《騷》述秋蘭，「緑葉」、「紫莖」。凡摛表五色，貴在時見，若青黃屢出，則繁而不珍。

自近代以來，文貴形似，窺情風景之上，鑽貌草木之中。吟詠所發，志惟深遠；體物爲妙，功在密附。故巧言切狀，如印之印泥，不加雕削，而曲寫毫芥。故能瞻言而見貌，印字而知時也。然物有恒姿，而思無定檢，或率爾造極，或精思愈疎。且《詩》、《騷》所標，并據要害，故後進鋭筆，怯於爭鋒。莫不因方以借巧，即勢以會奇，善於適要，則雖舊彌新矣。是以四序紛迴，而入興貴閑；物色雖繁，而析辭尚簡；使味飄飄而輕舉，情曄曄而更新。古來辭人，异代接武，莫不參伍以相變，因革以爲功，物色盡而情有餘者，曉會通也。若乃山林皋壤，實文思之奥府，略語則闕，詳説則繁。然則屈平所以能洞監《風》、《騷》之情者，抑亦江山之助乎！

贊曰：山沓水匝，樹雜雲合。目既往還，心亦吐納。春日遲遲，秋風颯颯。情往似贈，興來如答。

才略第四十七

九代之文，富矣盛矣；其辭令華采，可略而詳也。虞、夏文章，則有皋陶六德，夔序八音，益則有贊，五子作歌，辭義温雅，萬代之儀表也。商周之世，則仲虺垂誥，伊尹敷訓，吉甫之徒，并述《詩》、《頌》，義固爲經，文亦師矣。及乎春秋大夫，則修辭聘會，磊落如琅玕之圃，焜耀似縟錦之肆，薳敖擇楚國之令典，隨會講晋國之禮法，趙衰以文勝從饗，國僑以修辭扞鄭，子太叔美秀而文，公孫揮善於辭令，皆文名之標者也。戰代任武，而文士不絶：諸子以道術取資，屈宋以《楚辭》發采，樂毅報書辨以義，范雎上書密而至，蘇秦歷説壯而中，李斯自奏麗而動，若在文世，則揚班儔矣。荀况學宗，而象物名賦，文質相稱，固巨儒之情也。

漢室陸賈，首案奇采，賦《孟春》而選典誥，其辯之富矣。賈誼才穎，陵軼飛兔，議愜而賦清，豈虛至哉！枚乘之《七發》，鄒陽之《上書》，膏潤於筆，氣形於言矣。仲舒專儒，子長純史，而麗縟成文，亦詩人之告哀焉。相如好書，師範屈宋，洞入夸艷，致名辭宗。然覆取精意，理不勝辭，故揚子以爲『文麗用寡者長卿』，誠哉是言也！王褒構采，以密巧爲致，附聲測貌，冷然可觀。子雲屬意，辭人最深，觀其涯度幽遠，搜選詭麗，而竭才以鑽思，故能理贍而辭堅矣。桓譚著論，富號猗頓，宋弘稱薦，爰比相如，而《集靈》諸賦，偏淺無才，故知長於諷論，不及麗文也。敬通雅好辭說，而坎壈盛世，《顯志》自序，亦蚌病成珠矣。二班兩劉，弈葉繼采，舊說以爲固文優彪，歆學精向，然《王命》清辯，《新序》該練，璿璧產於崐岡，亦難得而踰本矣。傅毅、崔駰，光采比肩，瑗寔踵武，能世厥風者矣。杜篤、賈逵，亦有聲於文，迹其爲才，崔、傅之末流也。李尤賦銘，志慕鴻裁，而才力沈腿，垂翼不飛。馬融鴻儒，思洽識高，吐納經範，華實相扶。王逸博識有功，而絢采無力；延壽繼志，瑰穎獨標，其善圖物寫貌，豈枚乘之遺術歟？張衡通贍，蔡邕精雅，文史彬彬，隔世相望。是則竹柏異心而同貞，金玉殊質而皆寶也。劉向之奏議，旨切而調緩；趙壹之辭賦，意繁而體疏；孔融氣盛於爲筆，禰衡思銳於爲文，有偏美焉。潘勖憑經以騁才，故絕群於錫命；王朗發憤以託志，亦致美於序銘。然自卿、淵已前，多俊才而不課學；雄向以後，頗引書以助文：此取與之大際，其分不可亂者也。

魏文之才，洋洋清綺，舊談抑之，謂去植千里，然子建思捷而才俊，詩麗而表逸；子桓慮詳而力緩，故不競於先鳴；而樂府清越，典論辯要，迭用短長，亦無懵焉。但俗情抑揚，雷同一響，遂令文帝以位尊減才，思王以勢窘益價，未爲篤論也。仲宣溢才，捷而能密，文多兼善，辭少瑕累，摘其詩賦，則七子之冠冕乎！琳瑀以符檄擅聲，徐幹以賦論標美，劉楨情高以會采，應瑒學優以得文，路粹、楊修頗懷筆記之工，丁儀、邯鄲亦含論述之美，有足算焉。劉劭《趙都》，能攀於前修；何晏《景福》，克光於後進；休璉風情，則《百壹》標其志；吉甫文理，則《臨丹》成其采；嵇康師心以遣論，阮籍使氣以命詩；殊聲而合響，異翮而同飛。

張華短章，弈弈清暢，其《鷦鷯》寓意，即韓非之《說難》也。左思奇才，業深覃思，盡鋭於《三都》，拔萃於《詠史》，無遺力矣。潘岳敏給，辭自和暢，鍾美於《西征》，賈餘於哀誄，非自外也。陸機才欲窺深，辭務索廣，故思能入巧而不制繁。士龍朗練，以識檢亂，故能布采鮮净，敏於短篇。孫楚綴思，每直置以疎通；摯虞述懷，必循規以温雅；其品藻『流別』，有條理焉。傅玄篇章，義多規鏡；長虞筆奏，世執剛中；并楨幹之實才，非群華之韡萼也。成公子安選賦而時美，夏侯孝若具體而皆微，曹攄清靡於長篇，季鷹辨切於短韻，各其善也。孟陽、景陽，才綺而相埒，可謂魯衛之政，兄弟之文也。劉琨雅壯而多風，盧諶情發而理昭，亦遇之於時勢也。

景純艷逸，足冠中興，《郊賦》既穆穆以大觀，《仙詩》亦飄飄而凌雲矣。庾元規之表奏，靡密以閑暢；温太真之筆記，循理而清通：亦筆端之良工也。孫盛、干寶，文勝爲史，準的所擬，志乎典訓，户牖雖异，而筆彩略同。袁宏發軫以高驤，故卓出而多偏；孫綽規旋以矩步，故倫序而寡狀；殷仲文之孤興，謝叔源之閑情，并解散辭體，縹渺浮音，雖滔滔風流，而大澆文意。

宋代逸才，辭翰鱗萃，世近易明，無勞甄序。觀夫後漢才林，可參西京；晉世文苑，足儷鄴都；然而魏時話言，必以元封爲稱首；宋來美談，亦以建安爲口實。何也？豈非崇文之盛世，招才之嘉會哉？嗟夫，此古人所以貴乎時也！

贊曰：才難然乎，性各异稟。一朝綜文，千年凝錦。餘采徘徊，遺風籍甚。無曰紛雜，皎然可品。

知音第四十八

知音其難哉！音實難知，知實難逢，逢其知音，千載其一乎！夫古來知音，多賤同而思古，所謂『日進前而不御，遥聞聲而相思』也。昔《儲說》始出，《子虛》初成，秦皇漢武，恨不同時；既同時矣，則韓囚而馬輕，豈不明鑒同時之賤哉！至於班固、傅毅，文在伯仲，而固嗤毅云『下筆不能自休』。及陳思論才，亦深排孔璋，敬禮請潤色，嘆以爲美談；季緒好詆訶，方之於田巴，意亦見矣。故魏文稱『文人相輕』，非虛談也。至如君卿唇舌，而謬欲論文，乃稱『史遷著書，諮東方朔』，於是桓譚之徒，相顧嗤笑，彼實博徒，輕言負誚，况乎文士，可妄談哉！故鑒照洞明，而貴古賤今者，二主是也；才實鴻懿，而崇己抑人者，班、曹是也；學不逮文，而信僞迷真者，樓護是也：醬瓿之議，豈多嘆哉！

夫麟鳳與麐雉懸絕，珠玉與礫石超殊，白日垂其照，青眸寫其形。然魯臣以麟爲麐，楚人以雉爲鳳，魏氏以夜光爲怪石，宋客以燕礫爲寶珠。形器易徵，謬乃若是；文情難鑒，誰曰易分。

夫篇章雜沓，質文交加，知多偏好，人莫圓該。慷慨者逆聲而擊節，醖藉者見密而高蹈，浮慧者觀綺而躍心，愛奇者聞詭而驚聽。會己則嗟諷，异我則沮弃，各執一隅之解，欲擬萬端之變。所謂『東向而望，不見西墻』也。

凡操千曲而後曉聲，觀千劍而後識器；故圓照之象，務先博觀。閱喬岳以形培塿，酌滄波以喻畎澮，無私於輕重，不偏於憎愛，然後能平理若衡，照辭如鏡矣。是以將閱文情，先標六觀：一觀位體，二觀置辭，三觀通變，四觀奇正，五觀事義，六觀宫商。斯術既行，則優劣見矣。

夫綴文者情動而辭發，觀文者披文以入情，沿波討源，雖幽必顯。世遠莫見其面，覘文輒見其心。豈成篇之足深，患識照之自淺耳。夫志在山水，琴表其情，况形之筆端，理將焉匿？故心之照理，譬目之照形，目瞭則形無不分，心敏則理無不達。然而俗監之迷者，深廢淺售，此莊周所以笑《折楊》，宋玉所以傷《白雪》也。昔屈平有言：『文質疏内，衆不知余之异采。』見异唯知音耳。揚雄自稱『心好沈博絶麗之文』，其事浮淺，亦可知矣。夫唯深識鑒奧，必歡然内懌，譬春臺之熙衆人，樂餌之止過客。蓋聞蘭爲國香，服媚彌芬；書亦國華，玩澤方美；

知音君子，其垂意焉。

贊曰：洪鍾萬鈞，夔曠所定。良書盈篋，妙鑒乃訂。流鄭淫人，無或失聽。獨有此律，不謬蹊徑。

程器第四十九

《周書》論士，方之梓材，蓋貴器用而兼文采也。是以樸斲成而丹雘施，垣墉立而雕杇附。而近代詞人，務華弃實，故魏文以爲『古今文人之類不護細行』，韋誕所評，又歷詆群才；後人雷同，混之一貫，吁可悲矣！

略觀文士之疵：相如竊妻而受金，揚雄嗜酒而少算；敬通之不循廉隅，杜篤之請求無厭；班固諂竇以作威，馬融黨梁而黷貨；文舉傲誕以速誅，正平狂憨以致戮；仲宣輕脆以躁競，孔璋傯恫以粗疎；丁儀貪婪以乞貨，路粹餔啜而無恥；潘岳詭禱於愍懷，陸機傾仄於賈郭；傅玄剛隘而詈臺，孫楚狠愎而訟府。諸有此類，并文士之瑕累。文既有之，武亦宜然。古之將相，疵咎實多：至如管仲之盜竊，吴起之貪淫，陳平之污點，絳灌之讒嫉，沿茲以下，不可勝數。孔光負衡據鼎，而仄媚董賢；况班馬之賤職，潘岳之下位哉？王戎開國上秩，而鬻官囂俗；况馬杜之磬懸，丁路之貧薄哉？然子夏無虧於名儒，浚沖不塵乎竹林者，名崇而譏減也。若夫屈賈之忠貞，鄒枚之機覺，黄香之淳孝，徐幹之沈默，豈曰文士，必其玷歟？

蓋人禀五材，修短殊用，自非上哲，難以求備。然將相以位隆特達，文士以職卑多誚，此江河所以騰涌，涓流所以寸折者也。名之抑揚，既其然矣；位之通塞，亦有以焉。蓋士之登庸，以成務爲用。魯之敬姜，婦人之聰明耳，然推其機綜，以方治國；安有丈夫學文，而不達於政事哉？彼揚馬之徒，有文無質，所以終乎下位也。昔庾元規才華清英，勛庸有聲，故文藝不稱；若非台岳，則正以文才也。文武之術，左右惟宜。郤縠敦書，故舉爲元帥，豈以好文而不練武哉？孫武《兵經》，辭如珠玉，豈以習武而不曉文也？

是以君子藏器，待時而動，發揮事業，固宜蓄素以弸中，散采以彪外，楩柟其質，豫章其幹；摛文必在緯軍國，負重必在任棟梁，窮則獨善以垂文，達則奉時以騁績，若此文人，應《梓材》之士矣。

贊曰：瞻彼前修，有懿文德。聲昭楚南，采動梁北。雕而不器，貞幹誰則。豈無華身，亦有光國。

序志第五十

夫『文心』者，言爲文之用心也。昔涓子《琴心》，王孫《巧心》，心哉美矣，故用之焉。古來文章，以雕縟成體，豈取騶奭之群言雕龍也。夫宇宙綿邈，黎獻紛雜，拔萃出類，智術而已。歲月飄忽，性靈不居，騰聲飛實，制作而已。夫有肖貌天地，稟性五才，擬耳目於日月，方聲氣乎風雷，其超出萬物，亦已靈矣。形同草木之脆，名踰金石之堅，是以君子處世，樹德建言，豈好辯哉？不得已也！

予生七齡，乃夢彩雲若錦，則攀而採之。齒在踰立，則嘗夜夢執丹漆之禮器，隨仲尼而南行。旦而寤，乃怡然而喜，大哉聖人之難見哉，乃小子之垂夢歟！自生人以來，未有如夫子者也。敷讚聖旨，莫

若注經，而馬鄭諸儒，弘之已精，就有深解，未足立家。唯文章之用，實經典枝條，五禮資之以成，六典因之致用，君臣所以炳煥，軍國所以昭明，詳其本源，莫非經典。而去聖久遠，文體解散，辭人愛奇，言貴浮詭，飾羽尚畫，文綉鞶帨，離本彌甚，將遂訛濫。蓋《周書》論辭，貴乎體要；尼父陳訓，惡乎异端：辭訓之异，宜體於要。於是搦筆和墨，乃始論文。

詳觀近代之論文者多矣：至於魏文述典，陳思序書，應瑒文論，陸機《文賦》，仲治《流別》，宏範《翰林》，各照隅隙，鮮觀衢路；或臧否當時之才，或銓品前修之文，或泛舉雅俗之旨，或撮題篇章之意。魏典密而不周，陳書辯而無當，應論華而疏略，陸賦巧而碎亂，流別精而少巧，翰林淺而寡要。又君山、公幹之徒，吉甫、士龍之輩，泛議文意，

往往間出，并未能振葉以尋根，觀瀾而索源。不述先哲之誥，無益後生之慮。

蓋《文心》之作也，本乎道，師乎聖，體乎經，酌乎緯，變乎騷，文之樞紐，亦云極矣。若乃論文叙筆，則囿別區分，原始以表末，釋名以章義，選文以定篇，敷理以舉統，上篇以上，綱領明矣。至於割情析采，籠圈條貫，摛《神》、《性》，圖《風》、《勢》，苞《會》、《通》，閱《聲》、《字》，崇替於《時序》，褒貶於《才略》，怊悵於《知音》，耿介於《程器》，長懷《序志》，以馭群篇，下篇以下，毛目顯矣。位理定名，彰乎大易之數，其爲文用，四十九篇而已。

夫銓序一文爲易，彌綸群言爲難，雖復輕采毛髮，深極骨髓，或有曲意密源，似近而遠，辭所不載，亦不勝數矣。及其品列成文，有同乎舊談者，非雷同也，勢自不可异也；有异乎前論者，非苟异也，理自不可同也。同之與异，不屑古今，擘肌分理，唯務折衷。按轡文雅之場，環絡藻繪之府，亦幾乎備矣。但言不盡意，聖人所難，識在瓶管，何能矩矱。茫茫往代，既沈予聞；眇眇來世，倘塵彼觀也。

贊曰：生也有涯，無涯惟智。逐物實難，憑性良易。傲岸泉石，咀嚼文義。文果載心，余心有寄！

文華叢書

《文華叢書》是廣陵書社歷時多年精心打造的一套綫裝小型開本國學經典。選目均爲中國傳統文化之經典著作，如《唐詩三百首》《宋詞三百首》《古文觀止》《四書章句》《六祖壇經》《山海經》《天工開物》《歷代家訓》《納蘭詞》《紅樓夢詩詞聯賦》等，均爲家喻户曉、百讀不厭的名作。裝幀採用中國傳統的宣紙、綫裝形式，古色古香，樸素典雅，富有民族特色和文化品位。精選底本，精心編校，字體秀麗，版式疏朗，價格適中。經典名著與古典裝幀珠聯璧合，相得益彰，贏得了越來越多讀者的喜愛。現附列書目，以便讀者諸君選購。

文華叢書

書目　一

文華叢書書目

人間詞話（套色）（二册）
三字經・百家姓・千字文・弟子規（外二種）（二册）
三曹詩選（二册）
千家詩（二册）
小窗幽記（二册）
山海經（插圖本）（三册）
元曲三百首（二册）
元曲三百首（插圖本）（二册）
六祖壇經（二册）
天工開物（插圖本）（四册）
王維詩集（二册）
文心雕龍（二册）
文房四譜（二册）
片玉詞（套色、注評、插圖）（二册）
世説新語（二册）
古文觀止（四册）
古詩源（三册）
四書章句（大學、中庸、論語、孟子）（二册）
史記菁華録（三册）
史略・子略（三册）
白雨齋詞話（三册）
白居易詩選（二册）
老子・莊子（三册）
列子（二册）
西厢記（插圖本）（二册）
宋詞三百首（二册）
宋詞三百首（套色、插圖本）（二册）
宋詩舉要（三册）
李白詩選（簡注）（二册）
李商隱詩選（二册）
李清照集附朱淑真詞（二册）
杜甫詩選（簡注）（二册）

文華叢書

書目

杜牧詩選（二册）
辛弃疾詞（二册）
呻吟語（四册）
花間集（套色、插圖本）（二册）
孝經・禮記（三册）
近思録（二册）
林泉高致・書法雅言（一册）
東坡志林（二册）
東坡詞（套色、注評）（二册）
長物志（二册）
孟子（附孟子聖迹圖）（二册）
孟浩然詩集（二册）
金剛經・百喻經（二册）
周易・尚書（二册）
茶經・續茶經（三册）
紅樓夢詩詞聯賦（二册）
柳宗元詩文選（二册）
荀子（三册）

秋水軒尺牘（二册）
姜白石詞（一册）
珠玉詞・小山詞（二册）
唐詩三百首（二册）
唐詩三百首（插圖本）（二册）
酒經・酒譜（二册）
孫子兵法・孫臏兵法・三十六計（二册）
格言聯璧（二册）
浮生六記（二册）
秦觀詩詞選（二册）
笑林廣記（二册）
納蘭詞（套色、注評）（二册）
陶庵夢憶（二册）
陶淵明集（二册）
張玉田詞（二册）
雪鴻軒尺牘（二册）
曾國藩家書精選（二册）
飲膳正要（二册）

絶妙好詞箋（三册）
菜根譚・幽夢影（二册）
菜根譚・幽夢影・圍爐夜話（三册）
閑情偶寄（四册）
晝禪室隨筆附骨董十三説（二册）
夢溪筆談（三册）
傳統蒙學叢書（二册）
傳習録（二册）
搜神記（二册）
楚辭（二册）
經史問答（二册）
經典常談（二册）
詩品・詞品（二册）
詩經（插圖本）（二册）

園冶（二册）
裝潢志・賞延素心録（外九種）（二册）
隨園食單（二册）
遺山樂府選（二册）
管子（四册）
蕙風詞話（三册）
墨子（三册）
論語（附聖迹圖）（二册）
樂章集（插圖本）（二册）
學詩百法（二册）
學詞百法（二册）
戰國策（三册）
歷代家訓（簡注）（二册）
顔氏家訓（二册）